T0166945

DMITRI SCHOSTAKOWITSCH
DMITRI SHOSTAKOVICH

WALZER

aus der Filmmusik „Die Einheit" op. 95

POLKA

aus der Ballettsuite Nr. 2

WALTZ

from the film »Unity« Op. 95

POLKA

from Ballet Suite No. 2

für Klavier zu vier Händen
for piano four hands

MUSIKVERLAG HANS SIKORSKI · HAMBURG

Walzer
aus der Filmmusik „Die Einheit" op. 95

Waltz
from the film »Unity« Op. 95

Dmitri Schostakowitsch
Dmitri Shostakovich

© Musikverlag Hans Sikorski, Hamburg, for Germany, Denmark, Greece, Iceland, Israel, Netherlands,
   Norway, Portugal, Spain, Sweden, Switzerland and Turkey

Walzer
us der Filmmusik „Die Einheit" op. 95

Waltz
from the film »Unity« Op. 95

Dmitri Schostakowitsch
Dmitri Shostakovich

Vivace

Secondo

Polka
aus der Ballettsuite Nr. 2

Polka
from Ballet Suite No. 2

Dmitri Schostakowitsch
Dmitri Shostakovich

Vivace ma non troppo

© Musikverlag Hans Sikorski, Hamburg, for Germany, Denmark, Greece, Iceland, Israel, Netherlands, Norway, Portugal, Spain, Sweden, Switzerland and Turkey

Polka

aus der Ballettsuite Nr. 2

Polka

from Ballet Suite No. 2

Dmitri Schostakowitsch
Dmitri Shostakovich

Vivace ma non troppo

Zeitgenössische Klaviermusik

Frangis Ali-Sade
Music for piano (+ Firssowa, Elegie op. 21)
SIK 1964

Lera Auerbach
24 Präludien op. 41
SIK 8536

Ernst Bechert
Drei Klavierstücke (Amadinda / Blindenschrift / Unrund)
SIK 1919

Xiaoyong Chen
Diary I
SIK 8514

Diary II
SIK 8515

Jelena Firssowa
Elegie op. 21 (+ Ali-Sade, Music for piano)
SIK 1964

Sofia Gubaidulina
Ausgewählte Klavierstücke (Chaconne / Sonate / Toccata-Troncata / Invention)
SIK 6849

Musikalisches Spielzeug. 14 Stücke für Kinder
SIK 6851

Viktor Jekimowski
Trauermarsch-Sonate (Komposition 33) / Mondscheinsonate (Komposition 60)
SIK 1927

Milko Kelemen
Säulen des Himmels
SIK 1813

Tango
SIK 1814

Ulrich Leyendecker
Klavierstücke I-IV
SIK 899

Klavierstück V
SIK 1869

13 Bagatellen
SIK 1848

Noblesse oblige
SIK 1950

Jan Müller-Wieland
Klavierstück / Capriccetti
SIK 826

Jens-Peter Ostendorf
Transkription oder Musik unserer Zeit
SIK 819

Trauer. Szenen für einen Pianisten
SIK 861

Refrains I
SIK 867

Sergej Prokofjew
Sonate Nr. 6 op. 82
SIK 2177

Sonate Nr. 7 op. 83
SIK 2178

Sonate Nr. 8 op. 84
SIK 2179

Sonate Nr. 9 op. 103
SIK 2180

Nikolai Rakow
Konzert-Etüden, Heft I
SIK 2135

Peter Ruzicka
Ausgeweidet die Zeit. Drei Nachtstücke
SIK 816

Préludes. Sechs Stücke
SIK 1810

Alfred Schnittke
Sonate Nr. 1
SIK 6833

Sonate Nr. 2
SIK 1876

Sonate Nr. 3
SIK 1966

Viktor Suslin
Sonate
SIK 894

Klavierstücke
SIK 1958

Katia Tchemberdji
Sechs Haiku / Trauermarsch / Tag und Nacht
SIK 1949

Galina Ustwolskaja
Klavierwerke I: Sonaten Nr. 1-3
SIK 1943

Klavierwerke II: Sonaten Nr. 4-6
SIK 1944

Klavierwerke III: 12 Präludien
SIK 1945

Benjamin Yusupov
Crossroads No. 2
SIK 8527

Spezialkatalog: Klavier

Alle Kataloge und vieles Weitere finden Sie auch unter:
www.sikorski.de

SIKORSKI MUSIKVERLAGE · HAMBURG
www.sikorski.de

SIKORSKI